Ça commence iCi!

Catalogage avant publication de Bibliothèque et Archives nationales du Québec
et Bibliothèque et Archives Canada

Merola, Caroline

    Ça commence ici!

    Pour enfants de 3 ans et plus.

    ISBN 978-2-89579-597-1

    I. Titre.

PS8576.E735C3 2014   jC843'.54   C2014-940069-1
PS9576.E735C3 2014

Dépôt légal – Bibliothèque et Archives nationales du Québec, 2014
Bibliothèque et Archives Canada, 2014

Texte et illustrations : Caroline Merola

Direction : Gilda Routy
Révision : Sophie Sainte-Marie
Mise en pages : Mathilde Hébert

© Bayard Canada Livres inc. 2014

Nous reconnaissons l'aide financière du gouvernement du Canada par l'entremise
du Fonds du livre du Canada (FLC) pour des activités de développement de notre entreprise.

 Conseil des Arts   Canada Council
du Canada   for the Arts

Bayard Canada Livres inc. remercie le Conseil des Arts du Canada du soutien accordé
à son programme d'édition dans le cadre du Programme des subventions globales aux éditeurs.

Cet ouvrage a été publié avec le soutien de la SODEC. Gouvernement du Québec –
Programme de crédit d'impôt pour l'édition de livres – Gestion SODEC.

 Bayard Canada Livres
4475, rue Frontenac, Montréal (Québec) H2H 2S2
Téléphone : 514 844-2111 ou 1 866 844-2111
edition@bayardcanada.com
bayardlivres.ca

Imprimé en Chine

Ça commence iCi!

Parce que je l'ai décidé.

Caroline Merola

BAYARD

CANADA